Dirección editorial: Elsa Aguiar
Coordinación editorial: Gabriel Brandariz

© Silvia Schujer, 2009
© Poly Benatene, 2009
© Ediciones SM, 2009

Impresores, 2
Urbanización Prado del Espino
28660 Boadilla del Monte (Madrid)
www.grupo-sm.com

Centro de Atención al Cliente
Tel.: 902 121 323
Fax: 902 241 222
e-mail: clientes@grupo-sm.com

ISBN:978-84-675-3629-4
Depósito legal: M-37584-2009
Impreso en España / Printed in Spain
Imprime: Impresión Digital Da Vinci

Teresa se había ido a vivir al campo y por eso veía poco a los nietos.

Poco, pero con ganas, con muchas ganas. Con tantas que, cada vez que se encontraban, pasaba algo especial.

Esta es la historia de lo que,

una de esas veces,

pasó.

Faltaban pocos días para Navidad.

Teresa tenía diez nietos,
nada de dinero y un solo regalo.
Un paquete muy bonito
que acababa de ganar en un concurso de baile
y que no había abierto para un día, quizás, regalar.

Pero Teresa
tenía diez nietos
así que un solo paquete
le parecía muy poco.
Entonces se puso a pensar.

«Tengo que hacer algo», se dijo.
Y como el verde del pasto
la llenaba de ideas
se quedó un buen rato mirando el paisaje.

Hasta que tuvo una ocurrencia,
¡Una gran ocurrencia!

Y se puso a trabajar.

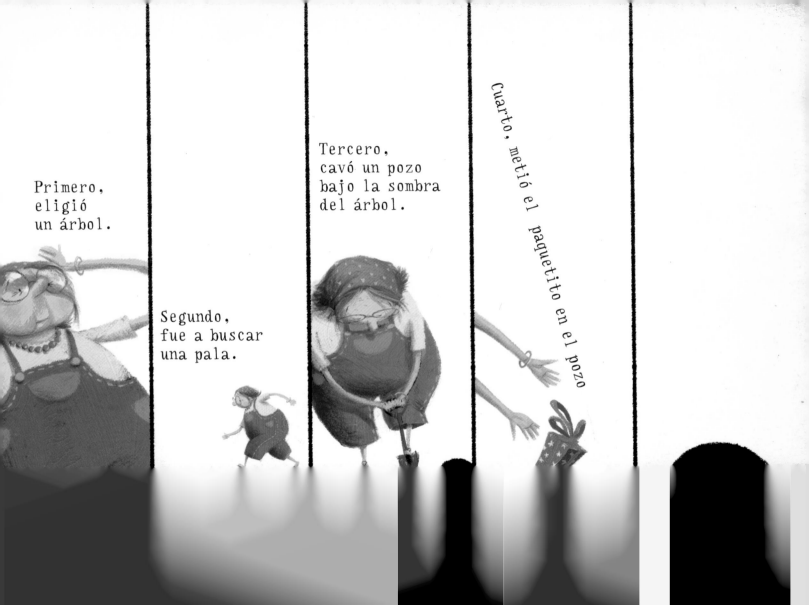

Primero,
eligió
un árbol.

Segundo,
fue a buscar
una pala.

Tercero,
cavó un pozo
bajo la sombra
del árbol.

Cuarto, metió el paquetito en el pozo

-Muy bien -dijo Teresa-.
Ahora solo es cuestión de esperar
-les comentó a sus amigos.
Y es que Teresa no vivía sola.
Compartía sus días con

| una vaca, | dos perros, | tres gatos, | cuatro gallinas, | cinco colibríes, | seis abejas, | siete mariposas |

y montones de plantas a las que ella les hablaba
como si también fueran personas.

La cuestión
es que empezaron a pasar las horas,
con las horas
los días,
después de los días
las noches
y,
allí donde Teresa había plantado el regalito,
lo único que crecía era un yuyo,
una pobre y mala hierba.

«¡Qué extraño!» pensaba Teresa
y seguía regando.
−¡Qué extraño! −repetía
cada vez más triste.
Porque el tiempo pasaba
y del yuyo
no brotaba más que yuyo.

Hasta que llegó
el 25 de diciembre;
es decir,
el mismísimo día
en que los diez nietos
visitarían
a su abuela.
Y ella, Teresa,
no tenía nada.

Igual
se levantó temprano,
se puso
un pantalón a rayas
y amasó galletas.

-¡Qué vergüenza una abuela sin regalos!
-se lamentaba Teresa-.
«¡Tanto nieto para tan poca abuela!»,
se castigaba mientras las lágrimas
caían sobre la masa y la salaban un poco.

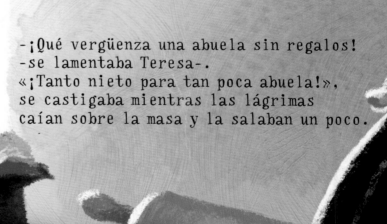

Al
verla así de triste,
los amigos decidieron ayudarla.

Las gallinas pusieron huevos de colores
que los colibríes colgaron del árbol,
imitando a las mariposas
que también se distribuyeron por las ramas.

Las abejas volcaron miel fresca
sobre las galletas de Teresa
y los gatos colaboraron a su modo portándose bien.

Ocupados
en arrancar el triste yuyo
que le había crecido a la abuela,
los perros no se dieron cuenta
del momento en que llegaron
los diez nietos
y rodearon al árbol.
Y tirando y tirando con fuerza
(un perro con el yuyo entre los dientes
y el otro haciendo cadena)
por fin lograron desenterrar la planta
que salió con raíz y todo.

Increíble: igual que las papas,

los regalos asomaron en manojo
después de haber crecido bajo la tierra.

Los nietos de Teresa
se abalanzaron sobre los paquetes y los repartieron.
Dejaron el más grande para la abuela
que saltaba de alegría.

Y así
hubiera terminado
la fiesta
de no haber sido
por las galletas.
Por las deliciosas
galletas de Teresa
y la inspiración
de la vaca que esa vez,
concentradísima
y triunfal,
la leche que dio
fue chocolatada,
fría
y espumosa.